Carnet de Loire
des Ponts-de-Cé à La Varenne

Carnet de Loire

des Ponts-de-Cé à La Varenne

Illustrations de Pascal Proust
Textes de Pierre Laurendeau

Sens du vent →

Le soubriquet   Le soubre   Le sous-tirot

Pont

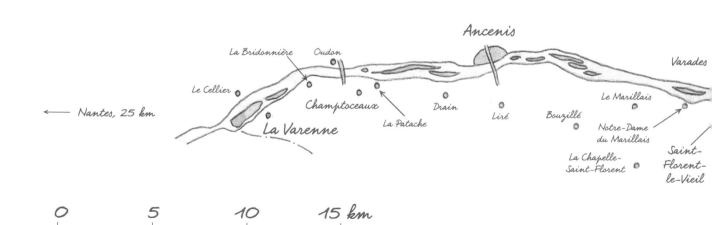

Ancenis

La Bridonnière   Oudon

Le Cellier

Nantes, 25 km ←

Champtoceaux

La Patache

Drain   Liré   Bouzillé

Varades

Le Marillais

Notre-Dame
du Marillais

La Varenne

La Chapelle-
Saint-Florent

Saint-
Florent-
le-Vieil

0   5   10   15 km

4

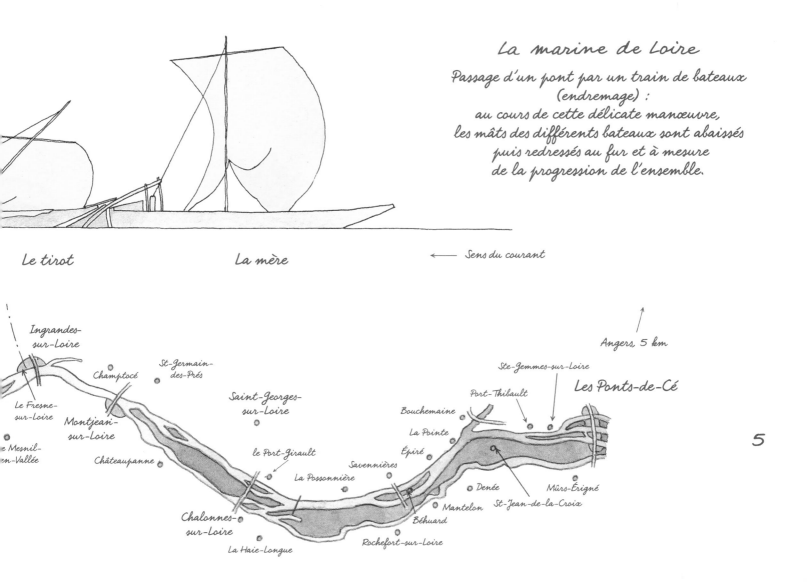

La marine de Loire

Passage d'un pont par un train de bateaux
(endremage) :
au cours de cette délicate manœuvre,
les mâts des différents bateaux sont abaissés
puis redressés au fur et à mesure
de la progression de l'ensemble.

Le tirot

La mère

⟵ Sens du courant

Angers, 5 km

Ingrandes-
sur-Loire

Champtocé

St-Germain-
des-Prés

Ste-Gemmes-sur-Loire

Port-Thibault

Les Ponts-de-Cé

Le Fresne-
sur-Loire

Montjean-
sur-Loire

Saint-Georges-
sur-Loire

Bouchemaine

e Mesnil-
en-Vallée

La Pointe

Châteaupanne

le Port-Girault

Épiré

Savennières

La Possonnière

Denée

Mûrs-Érigné

Chalonnes-
sur-Loire

Mantelon

St-Jean-de-la-Croix

Béhuard

La Haie-Longue

Rochefort-sur-Loire

5

Deux années ont passé depuis mon précédent périple ligérien.
De mes virées en Loire angevine m'était demeuré ce désir de franchir l'invisible
frontière (invisible à ceux qui ne sont pas natifs du pays d'Anjou)
ouvrant sur cet autre fleuve qui se colore déjà des parfums de l'Océan.
Cette nouvelle Loire, je la pressentais plus secrète,
receleuse d'émerveillements insoupçonnés.
Aussi, en ce début juillet, je prépare avec une certaine impatience
les outils de mes proches explorations : le carnet,
les crayons à mine de plomb, la boîte d'aquarelles.
Ma vieille bicyclette ayant rendu l'âme, c'est sur un vélo flambant neuf
que j'aborde les singularités de mon nouveau voyage.

des Ponts-de-Cé
à Savennières
du 7 au 11 juillet

Fût de canon sur la berge,
à la Pointe : ancrage pacifique
pour barque de Loire.

8

Retour aux Ponts-de-Cé.
Le pied sur la pédale, un coup d'œil à la maison de l'artisan perruquier,
près du bras de Saint-Aubin — où résistent quelques flaques d'eau tiède.

À peine franchies les limites de la cité ponts-de-céaise,
l'Authion canalisé, au coude à coude avec la route.

À Bouchemaine,
embarquez chez Noë
et vous serez sauvé...

En ce début de matinée, le sac bien arrimé au porte-bagages
je glisse telle une libellule sur l'asphalte. Une petite brise roborative me pousse
allègrement. Le cœur joyeux, bien ancré dans le paysage, je laisse flâner
mon esprit, toujours enclin à paresser dans les méandres sablonneux du fleuve.
A l'approche d'une rupture paysagère indéniable — la vallée se resserre
entre des coteaux et des seuils rocheux escarpés, — le fleuve, impartial vecteur
de tolérance, continue de charrier dans ses limons des laves d'Auvergne,
des silices du Nivernais et des calcaires de Touraine. Ajoutons-y, peut-être,
quelques ions électriques chipés à Dampierre ou Chinon.
Toute la culture ligérienne est, me semble-t-il, dans ce brassage des terroirs
entités morcelées et toutes familières.

Sainte-gemmes-sur-Loire

La confluence Loire-Authion,
discret mariage des eaux de la Vallée
à celles de la grande aventurière.

Le dernier pont sur l'Authion,
face à l'île aux Chevaux
dont les habitants, chaque hiver,
sont coupés du monde.

Au cimetière de Sainte-Gemmes,
ces émouvantes croix
– de simples cornières métalliques –
signalent les inhumations
des patients du Centre hospitalier spécialisé.

L'église,
sur son piton
rocheux, vue
de la Loire

13

Le presbytère n'a rien perdu de son charme
très XVIᵉ siècle... ni son jardin, récemment
ouvert au public, de son éclat.

Plan du bourg
de Sainte-Gemmes-sur-Loire

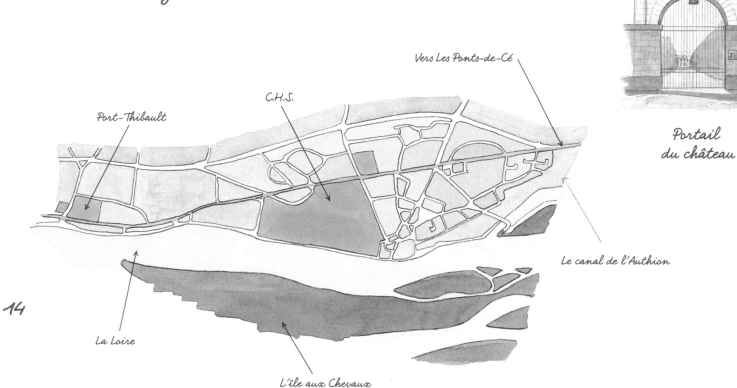

Vers Les Ponts-de-Cé

C.H.S.

Port-Thibault

Portail
du château

Le canal de l'Authion

La Loire

L'île aux Chevaux

14

Le château de Sainte-Gemmes-sur-Loire (1701),
devenu centre hospitalier spécialisé.
Innovation dans le traitement des maladies mentales (les aliénés étant jusqu'alors
enfermés dans les prisons), la création des centres hospitaliers spécialisés
a ouvert au siècle dernier la voie à la psychiatrie moderne.
Celui de Sainte-Gemmes-sur-Loire forme une véritable petite ville
dont les nombreux pavillons sont disséminés dans le parc du château.

15

Girouette
et faîtage
ouvragé.

Une ancienne pergola, dénichée
à Port-Thibault,
en descendant une ruelle
vers la Loire.

16

Jardin et pavillon
avec girouette
en forme de gabare.

Ces deux pavillons,
sentinelles paisibles
des villégiatures angevines,
se souviennent-ils
de l'embâcle
du terrible hiver 1963,
où, dit-on, l'on pouvait
traverser le fleuve à pied
sur la glace ?

Cale
dans le village.

17

Certaines habitations
de Port-Thibault étaient
à l'origine des maisons
de plaisance
des habitants d'Angers.

18

En quelques tours de roues, je parviens à la confluence de la Loire et de la Maine, le plus court et le dernier des grands affluents du fleuve, convergence de trois rivières : Loir, Sarthe et Mayenne. Sur l'autre rive, la commune de Bouchemaine.

Plutôt que d'emprunter le pont suspendu de Bouchemaine, je préfère galoper dans les prairies de la Baumette qui, en ce début d'été, prennent des couleurs de savane ; à quelques encablures du couvent qui abrita le turbulent escholier François Rabelais, je franchis la rivière sur le pont de Pruniers, autrefois ferroviaire. Une stèle rappelle que les troupes de Patton suivirent le même chemin (dans l'autre sens) pour libérer Angers en juin 1944.

19

Fenêtre de l'abbaye à fronton
en arc de cercle
avec deux jambages sculptés.

La commune de Bouchemaine s'étire sur douze kilomètres,
des portes d'Angers aux premiers ceps de Savennières.
Dans le bourg, l'abbaye du XVIIᵉ, ancienne résidence
des évêques d'Angers, accueille aujourd'hui des expositions.

Vue sur le bourg de Bouchemaine :
en avant-plan de l'église, l'abbaye.

Le port pétrolier désaffecté.
Jusqu'en 1992, les péniches pétrolières teuf-teufaient dans le paysage,
armada pacifique convoyant l'or noir aux portes d'Angers.

21

Cloche encastrée
dans le mur
de la chapelle.

Au cœur de la Pointe, ancien village
de mariniers de Loire, le portail d'entrée
du château du Haut-Plessis jouxte l'admirable
chapelle Notre-Dame-de-Ruzebouc, occupant
un ancien grenier à sel du XVIᵉ siècle.

22

Le château du Fresne,
à la sortie de Bouchemaine.

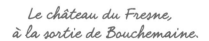

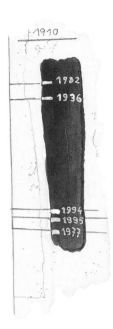

Niveau des crues.
La Pointe est
particulièrement exposée
aux débordements
du fleuve, auquel
se joignent les eaux
du bassin de la Maine.
L'hiver, l'eau envahit
les rues du village.

23

Brocante dans l'arrière-cour.
J'appuie un instant mon vélo contre le mur
et fouille parmi breloques, images pieuses
ou polissonnes, stéréoscopies et autres porcelaines ;
je déniche une rareté, "La Flûte de Jade",
recueil de poèmes chinois médiévaux, pour 10 F.

24

À Chantourteau, je m'engage sur le chemin de halage avec précaution ;
très défoncé, le sentier chahute ma monture.
Au loin, la pointe de l'île de Béhuard.
Les nombreux "épis noyés" qui jalonnent le fleuve, invisibles en hiver,
ont été installés au début du siècle pour essayer de rendre la Loire,
alors délaissée, de nouveau navigable.

La pierre Bécherelle, à Épiré,
ancrée comme une statue de l'île de Pâques dans le paysage ligérien,
est une véritable énigme géologique : naturel ou artificiel,
ce monolithe mêlant schistes et poudingues dresse vers le ciel sa solitaire
et magnifique silhouette. En souvenir de mes vertes années, où j'en explorai
les plus fins grattons, je grimpe sur la plate-forme médiane pour y passer la nuit,
hissant derrière moi ma chère bicyclette.

Au petit matin, ragaillardi,
toilette faite à la fontaine,
je remonte vers le village
d'Épiré à travers vignes
et bois.

Ancienne église d'Épiré.
Le chai du château,
situé sous l'église, renferme
le plus divin des nectars.

Cercle "la Bonne Tenue".
Le jeu de boule de fort est appuyé
à cette maisonnette pavoisant
aux couleurs de la République.

26

Entre Épiré et Savennières
le sol schisteux, peu épais, produit
un vin blanc sec, parmi les plus
réputés de l'Anjou.

Portail sur les champs.

Pavillon du château
de Chamboureau, un des hauts
sites viticoles de la commune.

27

Une vingtaine de producteurs
se partagent les 120 hectares
de l'appellation "Savennières".
Le vin produit ici
se boit en apéritif ou accompagne
avec bonheur poissons et crustacés.
Quelques croquis plus tard,
l'heure du repas approchant,
je vais peut-être me laisser tenter.

Le Domaine aux Moines,
autre remarquable vignoble.

Château
de la Roche aux Moines,
dans ses vignes.

La coulée de Serrant.
Depuis 600 ans, les vénérables ceps
de ce clos de sept hectares portent
la renommée des vins de Loire
bien au-delà des frontières d'Anjou.

Aux Forges portail
avec appareillage de briques.

L'église de Savennières, construite
au Xe siècle, est la plus ancienne
de l'Anjou. L'appareillage carolingien
de grès alterne avec des bandes de briques
inclinées, formant un décor en arêtes
de poisson. Des concerts de musique classique
font vibrer chaque été la nef
de ce merveilleux vaisseau de pierre.

Puits dans la cour de la Guerche,
à Savennières.

Pavillon du château de Varennes.
Élégant petit édifice au chapeau pointu,
près duquel le promeneur est invité à soulever le sien.

Platanes dans le parc du Fresne, à Savennières.
Allongé sous les vastes ramures protectrices j'affine mes croquis.

de Béhuard
à Ingrandes

du 12 au 15 juillet

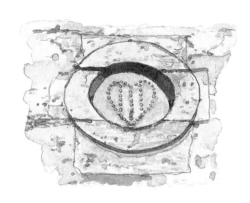

Sur un mur,
médaillon en forme de cœur.

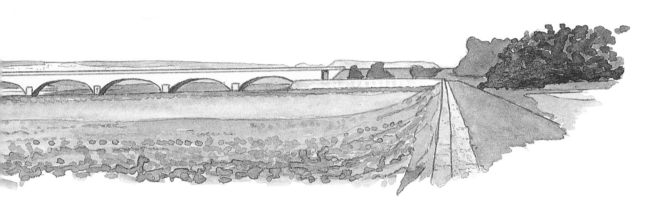

Au sud de La Possonnière, complicité paysagère
du pont du chemin de fer et de la levée.

A Saint-Germain-des-Prés,
une vénérable enseigne.

36

Par de petites routes ombragées,
je rejoins la nationale 23 vers Serrant.
"Je vois enfin un château en France", se serait écrié
Napoléon en arrivant à Serrant.
Plus que les somptueuses pièces et leur mobilier
me séduit la visite de la bibliothèque et ses 12 000 volumes.

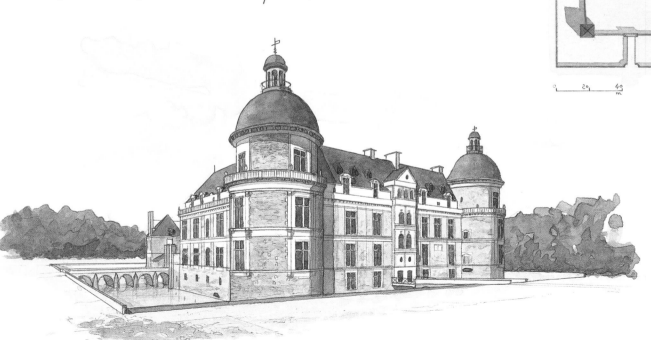

41

L'ancienne abbaye de Saint-Georges-sur-Loire,
fondée en 1150, abrite aujourd'hui la mairie.
En arrière-plan, l'église.

42

Une petite visite au musée
"Au bon vieux temps"
sympathique bric-à-brac d'objets du passé
installé dans la gare désaffectée.
Il est vrai que le temps, comme le vin,
se bonifie en vieillissant.

Porche de l'ancien prieuré de l'Épinay.
Jean Racine fut nommé prieur
commendataire de l'Épinay
par son oncle, le chanoine Sconin.
Cette attribution fut contestée;
du procès qui s'ensuivit,
Racine tira sa comédie
"Les Plaideurs".

La station de pompage
de Saint-Georges.
L'eau de Loire, après décantage
et filtrage, arrive sur la table
de centaines de milliers d'habitants
de la vallée, voisinant généralement,
pichet contre pichet,
avec un vin de pays, de Loire lui aussi.

43

Le château de Gilles de Rais, à Champtocé.
Le compagnon de Jeanne d'Arc,
que la tradition populaire identifie
à Barbe-Bleue, fut un puissant seigneur
aux mœurs rudes.
Son procès et son exécution en 1440
marquent la renaissance du pouvoir royal,
soucieux de se débarrasser d'un vassal
trop remuant aux marches d'un royaume
encore fragile.

Sur la route
du château du Pin,
près de Champtocé.

Les jardins du château déroulent sur dix hectares
de merveilleux paysages botaniques.
À proximité d'une rocaille, je remarque un bestiaire
de verdure, bel exemple de cet art topiaire
si prisé des amateurs de jardins.

45

Château du Pin :
petite tour en brique
et tuffeau avec cloche.

Ingrandes-Le Fresne

Une seule agglomération, deux communes,
deux départements et, autrefois, deux provinces.
Heureusement pour le promeneur,
un seul accueil, chaleureux et souriant,
des habitants.

Le Fresne-sur-Loire,
portillon.

Ingrandes, le collège Maryse-Bastié.
Je m'interroge sur la fonction
des cinq éoliennes :
hommage à l'aviatrice
ou instruments
à brasser
les neurones
des écoliers ?

46

Le château de la Fresnaye.
Bel exemple d'architecture néo-gothique, ce manoir situé entre Montrelais
et Ingrandes se trouve sur la route "Rodolphe Bresdin",
célèbre graveur du XIXe siècle et enfant du pays.

Ingrandes, loggia sur la Loire,
indice architectural
de la "douceur angevine".

Le château d'eau,
sur la presqu'île,
entre boire et Loire.

Le bac permettant de franchir la "boire de Champtocé", à Ingrandes.
Les boires, ces bras morts de la Loire, s'échelonnent tout au long
de la vallée ; elles jouent un rôle prépondérant
dans la vie du fleuve et de ses hôtes.

49

50

À droite, le Maine-et-Loire ; à gauche, la Loire-Atlantique.
Aujourd'hui limite paisible, cette frontière fut le théâtre d'une véritable "guerre du sel"
que se livrèrent sous l'Ancien Régime gabelous et faux-saulniers.
La Bretagne était en effet exemptée de gabelle (impôt très lourd sur le sel)
tandis que l'Anjou, province de grande gabelle, était taxée au maximum.
Aujourd'hui, le sel de Guérande est en vente libre au supermarché.

la balade
en Loire
du 16 au 20 juillet

Jean-Patrick Denieul,
pêcheur professionnel
et patron de la Ligériade.

Les greniers à sel

Désireux de poursuivre mon voyage au fil de l'eau,
je monte à bord de la Ligériade, noble vaisseau de croisière.
Premier croquis : les greniers à sel d'Ingrandes.
"Pour l'aquarelle, l'eau de Loire n'a pas son pareil",
me dit en plaisantant le pilote.

Ce pêcheur a récupéré une des balises du chenal,
dérivant au gré du courant.
Solidarité des gens de Loire,
la balise sera restituée à Voies Navigables
de France, l'organisme qui assure
la surveillance et l'entretien du fleuve.

La Mobylette du pêcheur

Suite à des pluies exceptionnelles, l'eau est encore haute.
Nous filons sur une étendue prodigieuse, plus lac que fleuve,
croisant de rares embarcations.
Les épis noyés affleurent par endroits, dessinant
les arêtes fabuleuses d'un monstre gargantuesque.
Je ressens l'exaltation des explorateurs.
Julien Gracq, dans un de ses livres, parle de Niger et d'Orénoque.
Niger/Liger, il est aisé de glisser dans le rêve des noms...
Il suffit de fermer un instant les yeux, attentif aux seuls bruits
du moteur que vient parfois souligner
le cri moqueur du grand cormoran.

Balise de mer…
Comme la marée,
les saumons
et les civelles,
les balises remontent-
elles le fleuve ?

Sur la rive, nous découvrons ce curieux cimetière
à bosselles. À l'instar des éléphants se sentant mourir,
les nasses d'osier viennent finir leurs jours
dans ces mouroirs à roseaux ; le patient travail du jonc
résiste mal au séjour dans le fleuve : un an au plus,
et le voilà condamné. Aujourd'hui, plastiques et alliages
remplacent peu à peu le matériau traditionnel ;
solidité en plus, charme en moins…

Nasse
à anguilles...

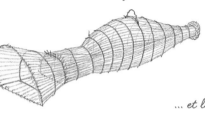

... et lamproies

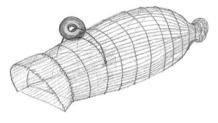

Anguille

Hutte de chasse aux canards

L'anguille descend la Loire
dès l'automne pour une longue
migration vers la mer des Sargasses,
lieu de sa reproduction.
Quelques-unes termineront
leur voyage dans l'assiette
d'un gourmet.

Paisibles locataires des îles,
ces ruminants contemplent leur reflet,
ignorant les affreux barbelés
qui clôturent leurs consœurs du rivage.

Hirondelles des rivages.
Dite aussi hirondelle terrassière, cette migratrice arrive
d'Afrique en mars ou avril. Au nid douillet, elle préfère
creuser un terrier dans les berges abruptes du fleuve :
au bout d'un tunnel d'un mètre de longueur,
la chambre à coucher où seront couvés les œufs.

Près de Notre-Dame-
du-Marillais, l'embouchure
de l'Èvre, modeste affluent du fleuve.
Nous glissons parmi les herbes hautes,
au cœur du paysage
décrit par Julien Gracq
dans "Les Eaux étroites" :

"Ce qui constituait d'abord pour moi,
il me semble, sa singularité,
c'était que l'Èvre, comme certains fleuves
fabuleux de l'ancienne Afrique,
n'avait ni source ni embouchure
qu'on pût visiter."

59

Feuille du frêne,
"imparipennée" :
de 9 à 13 folioles
ovales, allongées.

60

Le frêne têtard doit son nom à sa taille particulière,
obtenue par la coupe régulière des branches à deux
ou trois mètres du sol. À Drain, on peut admirer
un bel ensemble de haies bocagères de frênes oxyphylles

Le héron cendré

Le grand cormoran

Au cours de notre balade sur le fleuve, nous croisons de nombreux oiseaux.
Le héron cendré, désormais protégé, ne craint plus le "palais" royal :
François Ier était, paraît-il, si raffolé de la chair de cet échassier
qu'il en élevait dans sa héronnière de Fontainebleau.
Pour remplacer le héron, le gourmet moderne peut toujours
se rabattre sur l'autruche, acclimatée au val de Loire !
Le grand cormoran, lui, cause bien du souci aux pêcheurs ligériens,
qui l'accusent de prélever goulûment ses repas sur les bancs
de poissons du fleuve. Spécialité de l'animal :
la pêche en plongée et en groupe.

61

Les portes de la Tau, à l'entrée de Saint-Florent, empêchent en cas de crue la remontée des eaux de Loire dans la vallée de ce petit affluent.

L'île Batailleuse évoque les raids vikings du IX° siècle. Les gaillards du Nord y avaient installé un camp fortifié pouvant accueillir une centaine de drakkars. De là, ils remontaient le fleuve, pillant les villes et les riches abbayes. Aujourd'hui, les Scandinaves peuvent canoter sur la Loire en toute tranquillité : nous leur avons pardonné depuis belle lurette leurs turbulents ancêtres !

62

Amont

La Meilleraie

Aval

Saint-Florent-le-Vieil

Ile Batailleuse

ROUTE INONDEE

← Sens du courant

Ferme sur turcie à Saint-Florent-le-Vieil.
On doit à Henri II Plantagenêt, comte d'Anjou et futur roi d'Angleterre,
l'édification des premières turcies, levées de pierre destinées à endiguer le fleuve.

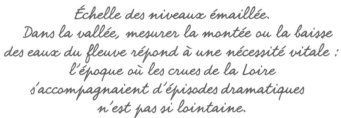

Échelle des niveaux émaillée.
Dans la vallée, mesurer la montée ou la baisse
des eaux du fleuve répond à une nécessité vitale :
l'époque où les crues de la Loire
s'accompagnaient d'épisodes dramatiques
n'est pas si lointaine.

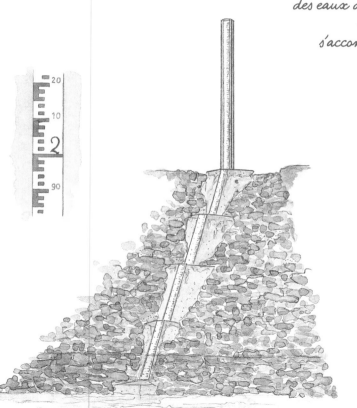

Du ski en bord de Loire...
Serait-ce une hallucination ?

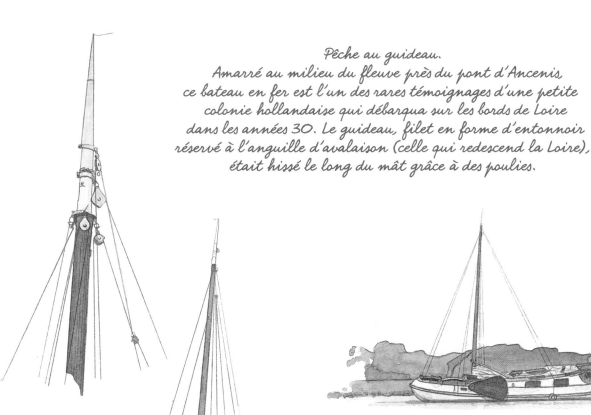

Pêche au guideau.
Amarré au milieu du fleuve près du pont d'Ancenis,
ce bateau en fer est l'un des rares témoignages d'une petite
colonie hollandaise qui débarqua sur les bords de Loire
dans les années 30. Le guideau, filet en forme d'entonnoir
réservé à l'anguille d'avalaison (celle qui redescend la Loire),
était hissé le long du mât grâce à des poulies.

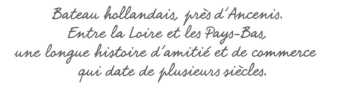

Bateau hollandais, près d'Ancenis.
Entre la Loire et les Pays-Bas,
une longue histoire d'amitié et de commerce
qui date de plusieurs siècles.

65

L'histoire de la Loire, c'est aussi son passé industriel.
Que ce soit le sable, puisé hardi petit dans le lit
du fleuve et au creux de ses boires, ou l'or noir pompé
à Donges, près de Saint-Nazaire, et acheminé
vers le port pétrolier de Bouchemaine...
Cette péniche échouée nous rappelle qu'à l'heure
où l'intermodalité des transports est au goût du jour,
la Loire fut pendant plusieurs siècles l'un des axes majeurs
de communication du pays.

Ancien matériel
d'extraction de sable

66

Ancien pétrolier échoué sur la berge.

Sablière, près d'Ancenis

Pont d'Ancenis
portant le blason
aux armes de la ville.

Nous faisons halte aux quais d'Ancenis,
pour dégourdir jambes et guidon.
C'est aussi l'occasion de saluer M. Vivier,
le propriétaire du bateau de pêche au guideau.
Personnage haut en couleur, intarissable conteur
d'anecdotes, vives et fraîches comme un rosé
des coteaux de la Loire.

De retour à bord, nous longeons la rive "atlantique",
et parvenons en vue de la tour octogonale d'Oudon,
fief médiéval alternativement français et anglais.
Au XVIe siècle, on y battit fausse monnaie,
ce qui coûta sa tête au seigneur local.

Ultime avancée de mon périple ligérien, les Folies Siffait offrent, vues de la Loire,
le tableau saisissant d'un extravagant jardin de pierre à la végétation enchevêtrée :
cèdres et cyprès centenaires ponctuent un dédale de terrasses, d'escaliers majestueux
et de portes ouvrant sur le vide ou la muraille. Ces légendaires "folies"
furent construites, dans la première moitié du XIXe siècle, par Oswald Siffait
pour accueillir ses visiteurs venus du fleuve.

La Patache, près de Champtoceaux, vue de la Loire.
Un des derniers paysages croqués
le long de ce voyage d'eau...

70

À l'issue de ce périple, je remercie chaleureusement Jean-Patrick,
nautonier virtuose qui sut me faire partager cet amour de la Loire qu'il porte
en lui depuis toujours. Il m'aide à reprendre pied sur la grève.
Quelques coups de pédale plus loin, je me retourne pour un dernier au revoir.

De La Varenne
au Mesnil-en-Valleé

du 21 au 25 juillet

Détail d'un pignon
couvert en tuile

71

Champtoceaux, le panorama de la promenade du Champalud :
îles, grèves et épis, un condensé de paysage ligérien.

Le village de la Bridonnière, à La Varenne.
Autre aspect de la Loire maugeoise : maisons au toit de tuile serrées près d'une boire.

"Installation" à Bouzillé.
Énigme archéologique en devenir.

74

Me voici en ce pays des Mauges, que la Loire borde autant qu'elle enclôt :
à La Varenne, la vallée, creusée dans les micaschistes durs, ne fait plus
qu'un kilomètre de large, goulet d'étranglement le plus étroit depuis Roanne.
L'histoire n'a guère épargné les Mauges où la blessure bicentenaire
des guerres de Vendée montre ses cicatrices : monuments, sanctuaires
et vitraux témoignent des douloureux événements du passé.
L'architecture, elle, se prend des airs méridionaux :
toits à la pente plus douce ; tuile supplantant l'austère ardoise de Trélazé…
Serait-ce une influence italianisante, très perceptible à Clisson,
à quelques lieues de là ?
À la sortie de La Varenne, dans un virage, une vision surprenante
de l'agglomération nantaise dans les brumes du couchant :
les grandes tours de ciment et de verre
sombrant dans les nuages ocellés d'or.

75

La Varenne :
le château XIXᵉ vu des Grenettes,
le petit port au pied du village.

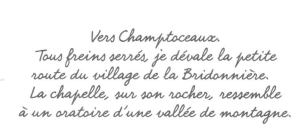

76

Vers Champtoceaux.
Tous freins serrés, je dévale la petite
route du village de la Bridonnière.
La chapelle, sur son rocher, ressemble
à un oratoire d'une vallée de montagne.

Champtoceaux, le péage fortifié (XIIIᵉ siècle).
Au Moyen Âge, les seigneurs rançonnaient volontiers les voyageurs,
en toute légalité. Les points de passage stratégiques étaient ainsi prétexte
à clicailles. À Champtoceaux — un des rares péages fluviaux encore visibles
en France, — un barrage de pieux contraignait les chalands de Loire à passer
sous les arches, interdisant toute tentative de fraude fiscale.

Champtoceaux, place-forte coincée entre l'Anjou et la Bretagne, a connu des moments glorieux ou difficiles. Résidence de Pépin le Bref, qui y reçut en 768 les ambassadeurs du calife de Bagdad, la citadelle fut rasée au XVᵉ siècle par un furieux, Jean V, duc de Bretagne : pour se venger d'y avoir été retenu prisonnier, il mit dix ans pour démanteler la ville close à coups de canon ! Reconstruite, la cité fut à nouveau dévastée en 1794 par les colonnes infernales de Turreau.

Seul vestige de l'enceinte,
la porte de la ville close,
flanquée de deux tours.

78

Champtoceaux, pavillon,
au cœur du magnifique parc
de la Cédraie.

Je descends par la coulée de la Luce
jusqu'à la Patache, ancien port
marinier de Champtoceaux,
qui doit son nom au bateau désaffecté
servant autrefois de bureau de douanes
pour la surveillance du fleuve.

79

À Drain, ferme typique des Mauges.
La présence insolite de cyprès évoque plus les bastides provençales
que les métairies de l'Ouest français.

La boire de la Rompure.

Drain, petit pavillon
en bordure de route.

Chai.
On remarque
le travail du vin
en long, caractéristique
des Mauges.

81

Liré, belvédère du château
de la Turmelière, XIXe siècle.
Le château de Joachim
du Bellay, en contrebas
de l'édifice actuel,
est aujourd'hui en ruine.

82

Installé dans une demeure du XVIe siècle,
le musée Joachim-du-Bellay de Liré,
récemment rénové, fait revivre
le grand poète de la Renaissance
et son époque grâce à de nombreux documents
remarquablement mis en valeur.

"Plus mon Loire gaulois
que le Tibre latin,
Plus mon petit Lyré
que le mont Palatin,
Et plus que l'air marin
la doulceur angevine."

Joachim du Bellay,
"Les Regrets", 1558.

Cimetière de Bouzillé.
Cette émouvante allée
couverte de buis abrite,
en chacune de ses ogives,
une tombe d'enfant.

Bouzillé, mausolée du comte
de Gibot, à la sortie du village.
Cet insolite monument funéraire,
sis square de "l'Enfeu",
peut accueillir 18 cercueils
sur plusieurs niveaux.

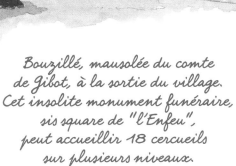

Houblon sauvage,
au bord de l'eau.

83

84

Moulin de l'Épinay,
à La Chapelle-Saint-Florent.
Le moulinet d'orientation fait pivoter
le toit conique, mettant automatiquement
les ailes face au vent :
pour un tour de moulinet,
la coiffe se déplace
de deux millimètres.

Les chapelles latérales
de l'église du Marillais.

Notre-Dame-du-Marillais,
le gué sur l'Èvre.

Notre-Dame-du-Marillais,
le petit pont sur l'Èvre.

La Vierge serait apparue
en 430 à saint Maurille.
Un pèlerinage consacre
l'événement le 8 septembre.

85

La ferme abbatiale des Coteaux.
Cette ancienne ferme fortifiée, rénovée, abrite le Carrefour des Mauges,
lieu d'animation très vivant où s'organisent rencontres, expositions, balades et découvertes.
Une autre fois, je suivrai le "Chemin des Potiers", qui relie la ferme des Coteaux
au village potier du Fuilet, ancien parcours d'acheminement des poteries du pays jusqu'à la Loire.

Colonne commémorative
des guerres de Vendée,
érigée en 1826.
Son alter ego républicain
domine la roche de Mûrs
près d'Angers.
Saint-Florent-le-Vieil
fut le théâtre
d'un dramatique épisode
de l'insurrection vendéenne :
la traversée de la Loire
de 80 000 hommes, femmes
et enfants, point de départ
de la terrible
"virée de Galerne".

Petit pavillon
au mont Glonne

*Tour de la Gabelle, sur les quais :
cet ancien grenier à sel
approvisionnait,
avant la Révolution,
quarante paroisses des Mauges.*

*Ferme de vignerons,
à Saint-Florent :
le chai enterré est surmonté
de cultures potagères.*

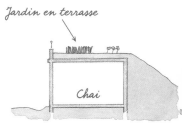

Jardin en terrasse

Chai

Coupe

89

Le mont Glonne.
Vue emblématique d'un des sites les plus chargés d'Histoire de l'Anjou.

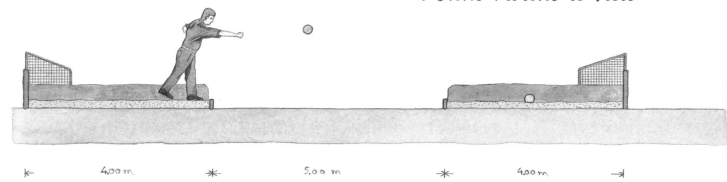

Jeu de boule de sable,
à Saint-Florent-le-Vieil

4,00 m ✳ 5,00 m ✳ 4,00 m

Deux aires remplies de sable se font face,
distantes de cinq mètres. Le joueur lance
sa grosse boule en bois
et essaie de s'approcher au plus près
du "maître". Comme pour
la boule de fort, en honneur entre
Angers et Tours, la boule de sable
se pratique au sein de "sociétés d'hommes".
Différence notable : ici, au lieu d'aller à Brion,
le perdant "va à La Boutouchère" !

À la sortie de Saint-Florent, sur la route du Mesnil,
non loin de l'usine Celia vers laquelle s'inclinent toutes les mamelles des Mauges,
la petite chapelle à moitié enterrée de Mayet commémore le lieu
où Florent terrassa un dragon et en profita pour évangéliser la région.

Au Mesnil-en-Vallée, petit pavillon
invitant le pauvre cycliste, en cette fin
d'après-midi caniculaire, à délasser
ses mollets à l'abri de Phébus
et à tremper ses lèvres parcheminées
dans un breuvage rebiscoulant.

Au Mesnil, la mairie toute neuve allie avec bonheur
les matériaux locaux et contemporains afin d'unir,
pour le meilleur seulement, les enfants du pays.

De Montjean
à Mûrs-Érigné
du 26 au 31 juillet

Le coq en métal de Montjean,
symbole de l'esprit gallo-ligérien.

Le pont de Montjean est habité :
des colonies d'hirondelles prennent chaque année
le gîte et le couvert sur l'édifice.
Les tourbillons et contre-courants
provoqués par les piles du pont
favorisent le pullulement des moucherons
et autres délicatesses pour gent ailée.

Fabrique
de tire-bouchons
à Rochefort-sur-Loire.

Installé pour la nuit sur l'une des grèves de Montjean,
les yeux dans les étoiles, respirant un air chaud et sec,
par la magie des analogies je me projette sur une dune du Sud Sahara.
Désert en miniature, la grève développe un écosystème surprenant :
en plein soleil, la température au sol avoisinant 50 °C,
une cinquantaine d'espèces tropicales trouvent sur les sables ligériens
des conditions proches de leur milieu d'origine.
Des botanistes parlent même d'une véritable "migration végétale".

Datura et paspalum invitent à un voyage immobile,
un feu de bois flotté crépite quelque part,
le vent porte le chant de rameurs invisibles.

97

Le charbon et la chaux

Montjean, chevalement du puits de la Tranchée.
La mine descend à - 175 m.

Les Maisons blanches,
près de Chalonnes : insolite recyclage
pour cet ancien four à chaux...

La présence en bord de Loire de lentilles calcaires
et d'un filon de charbon a favorisé l'émergence,
au siècle dernier, d'une industrie de la chaux,
notamment dans la région de Montjean :
en superposant dans un four, par couches alternées,
calcaire et charbon, on obtenait la chaux par combustion.
Vers 1870, les 17 sites chaufourniers de Montjean
produisaient 60 000 tonnes par an, expédiées par gabare
vers la basse Loire et la Bretagne, où la chaux était surtout
utilisée pour amender les sols acides.

La Montjeannaise et la Ligériade au bord à bord
sur les quais de Montjean.
L'Écomusée de Montjean est à l'origine
de la construction de la Montjeannaise,
réplique d'une gabare du siècle dernier.
Cette dynamique association fait revivre le glorieux passé
marinier : classes de patrimoine, animations autour
du chanvre, sorties en Loire plongent le visiteur au cœur
de ce monde, pas si lointain, où Montjean était le second port
de Loire après Nantes. Le musée, installé
dans une ancienne forge, présente un grand nombre
d'objets liés à la marine de Loire.

Montjean - sur - Loire

Bas-relief sur une façade,
près des quais

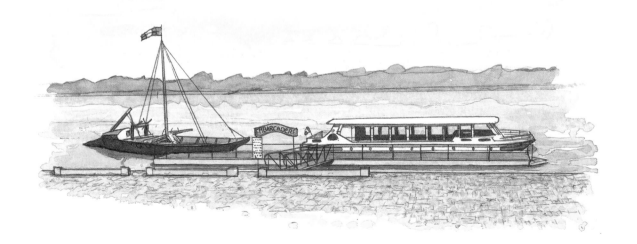

99

À Châteaupanne, je prends plaisir
à glisser parmi les vignes, au pied
de l'énorme butte de déblais de la carrière.
Le petit village est construit à proximité
d'un site chaufournier remarquable.
Autrefois, chaque four avait son nom :
"Clermont", "Jalousie" pour les fours
du XVIIIe siècle ; "Union" (ou "République")
pour celui de 1848...

Piquets de vigne
en schiste,
appelés "échalas".

Ce puits recouvre-t-il
l'ancienne source
vouée à saint Méen,
qui guérissait
gale et lèpre ?

Route de La Pommeraye, pavillon dans les vignes.
Entouré d'un muret, ce petit édifice de brique et tuffeau ressemble
à un bastion pour rire, encerclé par des armées de piquets de schiste.
"Tenez bon", crient les ceps.

L'embouchure du Layon, le "canal de Monsieur",
par où transitaient le charbon pour la chaux et le vin pour la soif.

Abandonnant pour quelques instants
les bords de Loire, je vais saluer
les plus anciens habitants de l'Anjou
(40 000 ans, fin du moustérien),
à Roc-en-Pail.

Sur les quais un jardin
de pierre où voisinent tours,
échauguettes, minarets
et murailles miniatures.

Accès aux quais de Chalonnes,
les plus longs d'Anjou.

Fontaine Saint-Maurille,
près d'un petit ruisseau
murmurant l'histoire de cet évêque
d'Angers évangélisant
les mécréants locaux
au V° siècle. Rude tâche !

Imaginez ces quais bourdonnant d'une activité
incessante : chaque jour, un grand nombre
de bateaux accostent à Chalonnes, chargés de sel,
de chaux ou de charbon. Les mariniers profitent
de l'escale pour se désaltérer dans l'un des nombreux
bistrots de la place de l'Hôtel-de-Ville...

Maison de mineur en tôle.
Construites en série, ces petites maisons
témoignent du passé minier de la région.
On en voit également à Saint-Crespin-
sur-Moine, dans les Mauges.

Recyclage :
barque fabriquée à partir
de capots de Panhard soudés.

La gare, toute de briques
et de tuffeau.
Un petit train touristique,
sur roues celui-ci, serpente dans les rues
de la ville et dans les vignes
de la Corniche angevine.
Quinze kilomètres en une heure et demie, pour savourer le paysage.

105

Finie la plaisante glissade sur terrain plat.
Après contrôle des mollets et des freins, j'attaque la célèbre
"Corniche angevine", tout en virages et côtes raides.
Le carnet d'aquarelles se fait lourd dans le sac à dos...

A la Haie-Longue,
monument célébrant
les premiers vols
de René Gasnier
en 1908.

106

Dans le village,
belle maison de maître...
... et humble trace du passé minier.

A Rochefort, Corniche avalée,
la pause s'impose.
La dégustation d'un Coteaux
du Layon vient à point nommé
flatter les papilles gourmandes
du cycliste.

Chai sur les quais
de Rochefort.

Ancienne station
de pompage,
près du Louet.

107

La place du Pilori,
à Rochefort-sur-Loire.

108

Sous l'Occupation, l'"'école de Rochefort"
regroupa autour de Jean Bouhier et René-Guy Cadou
des écrivains soucieux d'affirmer leur attachement
à "la liberté de l'Esprit".

"Et tu marches là-bas parmi les oseraies
Traînant derrière toi ton unique village."
R.-G. Cadou, "Le Cœur définitif".

Croix sur un pignon
(tôle perforée).

Mantelon,
un des plus secrets villages
de l'Anjou.

Pavillon à tourelle du XVIe, flanqué
de l'orangerie du XIXe, non loin
du dernier château construit
avant la Révolution (1789).

109

Dans le parc du château,
pavillon de la Thaïlande, rescapé
de l'Exposition universelle de 1879 à Paris.

Denée

Cette plaque routière en fonte annonce que mon périple
prendra fin dans neuf kilomètres trois quarts.
Essayons de faire durer les trois quarts...

Sur la route de Mûrs,
cet étonnant porche aux hiboux,
évocateurs d'une sagesse
immémoriale.

Le bourg de Denée ne se laisse pas prendre
facilement. Outre les vestiges de l'enceinte
du XII° siècle, un système défensif intérieur
constitué de rues en chicane assure la protection
des habitants contre les envahisseurs.

À quelques kilomètres de distance,
ces deux témoins de l'histoire des techniques.

Aux premiers temps
de l'électrification
des campagnes...

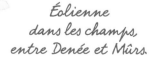

Éolienne
dans les champs,
entre Denée et Mûrs.

112

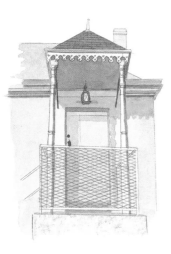

A Saint-Jean-de-la-Croix, porte d'entrée surélevée et joliment coiffée.

Chapelle "au chanvre". La surélévation indique que les crues sont ici souvent envahissantes.

MAISON du PASSEUR

La "Maison du passeur", à Saint-Jean-de-la-Croix : autrefois port d'attache pour le bac et café pour les embarquements intérieurs.

113

La roche de Mûrs.
Prudemment, je me penche
au-dessus de l'à-pic de 40 m
d'où 600 soldats républicains
furent précipités, en 1793,
par les troupes de Renée Bordereau,
dite "l'Angevin",
la Jeanne d'Arc
de la Vendée militaire.

A Mûrs, fenêtre dans
une cheminée, pour faciliter
le passage du père Noël...

Le monument de la roche de Mûrs et sa Marianne, élevés
un siècle après les terribles événements. J'observe en passant
le centre Jean-Carmet, posé comme un OVNI sur la lande.

L'église d'Érigné,
dans son écrin
de verdure, invite
au recueillement.

Amusant petit pavillon
orientalisant.

En bord de Louet, toute une architecture balnéaire
témoigne d'un temps où les Angevins venaient
en tram villégiaturer à Érigné.

Ainsi s'achève mon second périple… Non sans regrets
je vais ranger vélo, carnet de croquis et boîte de Rustines.
Heureux qui comme Ulysse, eût dit Joachim…
Les plus beaux voyages sont peut-être ceux que l'on fait près de chez soi :
je laisse à d'autres les Amazone, Mississippi et autres Nil,
auxquels je préfère ma Loire, si changeante et toujours même.
C'est là un grand et beau mystère : le souvenir se nourrit
du limon des rêves et l'eau garde la mémoire des terroirs traversés
dont elle prélève d'infimes parcelles de glaise odorante.

Ont collaboré au livre :

Pierre Laurendeau, Pascal Proust, Maud Thévenin, Arnaud Tézé,
Bruno Letellier, François Trenit, Vincent Cazals.

Lettrage et typographie : François Batet.

L'éditeur remercie, pour leur soutien à cette deuxième aventure ligérienne :

Philippe Garnier et Jean-Pierre Boudin, société Cofiroute,
le Comité départemental du tourisme de l'Anjou,
le Conseil d'architecture, d'urbanisme et de l'environnement de Maine-et-Loire,
Henri Gauchotte, Publics Stratégies ;

les personnes rencontrées tout au long du parcours, notamment :

M. Besnier, M. Vivier, M. Denieul, M. Brien, M. Cotteverte,
ainsi que les propriétaires des sites privés qui nous ont accueillis.

Sources complémentaires :

De l'Anjou au Pays nantais à pied, L'Anjou à pied (FFRP/CDT Anjou),
Le Guide de l'Anjou, éd. la Manufacture,
Julien Gracq, Les Eaux étroites, éd. Corti,
Les Mauges en marche, Carrefour des Mauges/CPIE Loire et Mauges.

Index des lieux traversés

Achevé d'imprimer en mai 1999
sur papier Centaure naturel 170 g,
sur les presses de Henri Michel Imprimeur (Denée, 49)
Photogravure : Paragraphe (Angers)
Dépôt légal : novembre 1998
ISBN : 2-909051-16-1

Déjà paru :
Carnet de Loire,
Des Ponts-de-Cé à Montsoreau

Conseil d'Architecture
d'Urbanisme et de l'Environnement
de Maine-et-Loire,
9, rue du Clon, 49000 Angers.

Le Polygraphe éditeur,
13 bis, avenue du Général-Foy,
49100 Angers

Comité Départemental
du Tourisme de l'Anjou,
place Kennedy, BP 2147
49021 Angers cedex 02.